Marta Galewska-Kustra, Elżbieta i Witold Szwajkowscy

WiERSZYKi ĆWiCZĄCE JĘZYKi

czyli rymowanki logopedyczne dla dzieci

ilustracje Joanna Kłos

NASZA KSIĘGARNIA

Projekt okładki, layoutu i ilustracje **Joanna Kłos**

Koncepcja, opracowanie logopedyczne i pedagogiczne serii
„Uczę się: mówić, wymawiać, opowiadać" **dr n. hum. Marta Galewska-Kustra**

Wydawnictwo
NASZA KSIĘGARNIA
www.naszaksiegarnia.pl

02-868 Warszawa, ul. Sarabandy 24c
tel. 22 643 93 89, 22 331 91 49, faks 22 643 70 28
e-mail: naszaksiegarnia@nk.com.pl

Dział Handlowy
tel. 22 331 91 55, tel./faks 22 643 64 42
Sprzedaż wysyłkowa: tel. 22 641 56 32
e-mail: sklep.wysylkowy@nk.com.pl   **www.nk.com.pl**

Książkę wydrukowano na papierze Lux Cream 90 g/m² wol. 1,8.
ZING

Redaktor prowadzący **Anna Garbal**
Opieka redakcyjna **Magdalena Korobkiewicz**
Opracowanie DTP, redakcja techniczna **Joanna Piotrowska**

ISBN 978-83-10-12738-9

PRINTED IN POLAND

Wydawnictwo „Nasza Księgarnia", Warszawa 2015 r.
Druk: EDICA Sp. z o.o., Poznań

Drodzy Rodzice!

Trzymacie w rękach książeczkę, która ma służyć wspólnej zabawie językowej z dzieckiem w wieku od 4 do 7 lat. Dzięki zawartym tu rymowankom możecie Państwo usłyszeć, w jaki sposób Wasza pociecha wymawia głoski, i cieszyć się z osiąganych przez nią kolejnych sukcesów. Możecie w końcu ćwiczyć wymowę dziecka (oraz własną!), bawiąc się wspólnie przy powtarzaniu przeczytanych przez Was wesołych, rytmicznych i łatwych do zapamiętania wierszyków.

Czym różni się ta książeczka od innych pozycji z „trudnymi wierszykami"?

Najczęściej „trudne wierszyki" tworzą prawdziwą mieszankę wybuchową najtrudniejszych głosek! To świetna zabawa, ale... raczej dla dorosłych, a jeśli dla dzieci, to na pewno tych starszych. Trzylatek czy czterolatek nie wymawia jeszcze wielu głosek i zwykle nie radzi sobie z takimi łamańcami językowymi.

Wszystkie zawarte tu wierszyki zostały przygotowane z uwzględnieniem odpowiednich etapów rozwoju wymowy dziecka: zawierają tylko te głoski, które w danym wieku powinno już ono wymawiać. Opatrzone są także wieloma informacjami i wskazówkami dla zainteresowanych tym procesem rodziców. Wierszykom towarzyszą zabawne ilustracje. Zawierają one dodatkowe pytania do dziecka, które sprzyjają rozwojowi rozumienia słyszanego tekstu oraz dają kolejny pretekst do powtórzenia głoski, którą akurat się bawicie. W ilustracje wkomponowane są także napisy, np. sylaby z ćwiczoną głoską. Aż się prosi, by wspólnie je odczytać! Jednym słowem, ilustracje mają stworzyć okazję do rozmowy o tym, o czym jest wierszyk, i do pogaduszek rodzica z dzieckiem, które zawsze są miłe i pożyteczne.

Jak używać tej książeczki?

Po pierwsze: warto zacząć od początku, a potem przechodzić do kolejnych rymowanek i bawić się coraz trudniejszymi głoskami. Jeśli dziecko ma cztery lata, ale żaden wierszyk z części pierwszej nie sprawia mu trudności, można z powodzeniem przejść do części następnej. Jeśli okaże się, że dziecko ma kłopot z głoską, którą powinno już wymawiać, warto porozmawiać o tym z logopedą. Pamietajmy też, aby nie wywoływać głoski samodzielnie, nie zmuszać dziecka do jej wymówienia.

W pierwszej części książeczki znajdują się rymowanki dla najmłodszych (od 4 lat), a każda z nich dotyczy spółgłoski, którą dziecko w tym wieku powinno wymawiać. Wierszyki z części pierwszej zawierają powtarzane sylaby, co daje okazję do dodatkowych ćwiczeń i zabawy w rapowane rymowanki.

W części drugiej (dla dzieci od 5 lat) robi się coraz trudniej, ponieważ mowa dziecka się rozwija — Wasza pociecha uczy się wymawiać trudniejsze głoski, aż w końcu powie arcytrudne „r".

A na sam koniec prawdziwe wyzwanie — **rymowanki dla chojraków**, czyli część trzecia! Kto się porwie na powtarzanie tych wierszyków, będzie naprawdę odważny!

Na każdej stronie umieściliśmy wyraźne oznaczenie dotyczące wieku dziecka oraz głoski, której dany wierszyk dotyczy.

Nauka wymowy może być wspaniałą zabawą, której dzieciom i rodzicom życzymy!

Autorzy

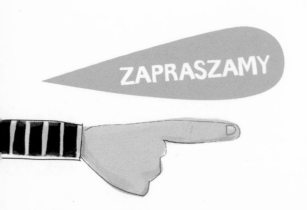

CZĘŚĆ 1

4 lata

14

13

12

11

10

9

8

7

6

5

4

3

2

1

FAJTŁAPA

Pa-pa-pa, pa-pa-pa,
pan ten w dłoni sitko ma.
Apa-apa, apa-apa,
chwyta sitkiem wodę gapa.

Ap-ap-ap, ap-ap-ap,
woda leci, kap, kap, kap,
w kubek, gapo, wodę łap!
A pan – gapa i fajtłapa –
cały wodą się
           ochlapał.

A TO GAPA!

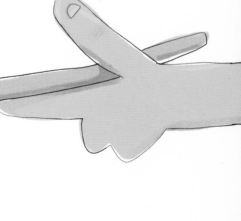

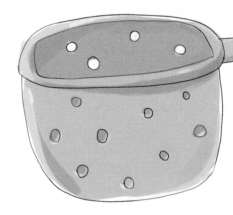

Kto to jest fajtłapa?

Pi Pi Pi

PIŁKA

Pi-pi, pi-pi, leci piłka,
apie-apie, łapie Lilka

piłkę, epie-epie-epie,
ale Elka łapie lepiej.

ŁUBU

Oby-oby-oby,
Jan nie śpi dwie doby.
Ubu-ubu, ubu-ubu,
bo ktoś wali łubu-dubu.
Obu-obu-obu,

weź się tu nie obudź!

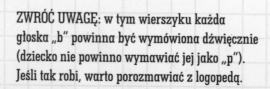

ZWRÓĆ UWAGĘ: w tym wierszyku każda
głoska „b" powinna być wymówiona dźwięcznie
(dziecko nie powinno wymawiać jej jako „p").
Jeśli tak robi, warto porozmawiać z logopedą.

DUBU

ZWRÓĆ UWAGĘ: w tym wierszyku głoska „bi" powinna być wymawiana dźwięcznie (dziecko nie powinno wymawiać jej jako „pi"). Jeśli tak robi, warto porozmawiać z logopedą.

BUŁKi
W BiBUŁKACH

Bi-bi, bi-bi, mam bibułki,
a w nich małe ładne bułki.
Obie-obie-obie,
bułki te dam tobie,
ubi-ubi, ubi-ubi,
albo komuś, kto je lubi.

MO MO

MOTYLEK
i BADYLE

Mo-mo-mo, motylek
wpadł tam na badyle.
Ama-ama-ama,
nogi by połamał!
Hej, motylku, am-am-am,
ty nie lataj lepiej tam!

MAŁY **MIŚ**

Mi-mi, mi-mi, mały m

Amie-amie-ami
Ami-ami-an

Mi Mi

ubek mleka wylał dziś.

o i kawę mamie.

ywan jej poplamił

i to tylko dziś.

Taki to był miś!

FA

ALE FAJNiE!

UWAGA: w słowie „lew" „w" wymawiamy jako „f".

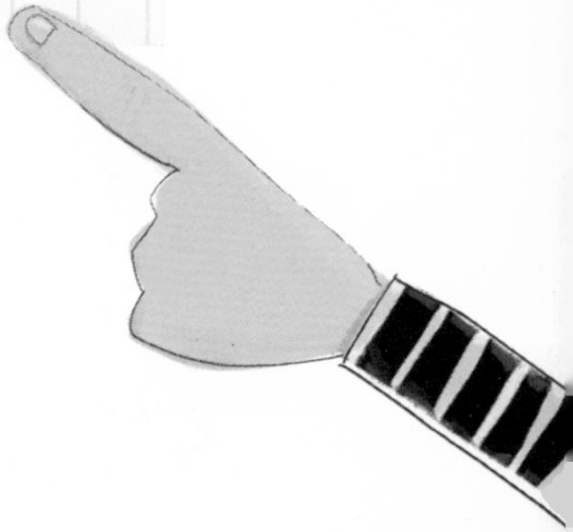

FA FA

TELEFON ANTYLOPY

Fa-fa, fa-fa, fajnie ma
antylopa mała ta,
efo-efo-efo,
bo chyba telefon
dał jej, ef-ef-ef,

pewien miły lew.

Fi

Fi Fi

TOFFi
PANA TEOFiLA

Fi-fi, fi-fi, wielką figę
połknął mały Janek migiem.
Ofi-ofi-ofi,
potem kilka toffi.

A na figi te i toffi

chęć miał pan Teofil.

W

WO...? WO...? CiEPŁA WODA!

MiĘTA

MiÓD

CiEPŁA WODA!

ZWRÓĆ UWAGĘ: w tym wierszyku każda głoska „w" powinna być wymówiona dźwięcznie (dziecko nie powinno wymawiać jej jako „f"). Jeśli tak robi, warto porozmawiać z logopedą.

MiĘTOWY NAPÓJ

Wo-wo, wo-wo,
ciepła woda.
Gdy się mięty,
miodu doda,
owy-owy-owy,
to napój gotowy.

ZWRÓĆ UWAGĘ: w tym wierszyku głoska „wi" powinna być
wymawiana dźwięcznie (dziecko nie powinno wymawiać jej jako „fi").
Jeśli tak robi, warto porozmawiać z logopedą.

WiŚNiE

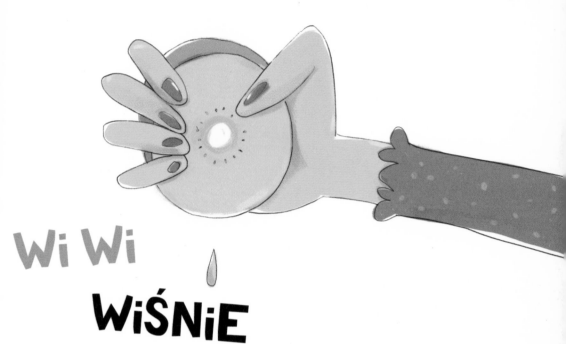

Wi Wi

WiŚNiE

Wi-wi, wi-wi, kwaśne wiśnie
mama chyba mi wyciśnie,
iwi-iwi-iwi,
i zielone kiwi,
owie-owie-owie,
gdy jej tylko powiem.

NiEOBUTY
MiETEK

Ta-ta, ta-ta, pięć tablete

ata-ata-at

uty-uty-ut

at-at, at-at-c

ZWRÓĆ UWAGĘ, czy dziecko nie wsuwa języka
między zęby, kiedy wymawia głoskę „t".

ILE TABLETEK?!

5! O NiEE E!

...usiał połknąć biedny Mietek,

...o po śniegu latał,

...był nieobuty,

...hoć ma siedem lat.

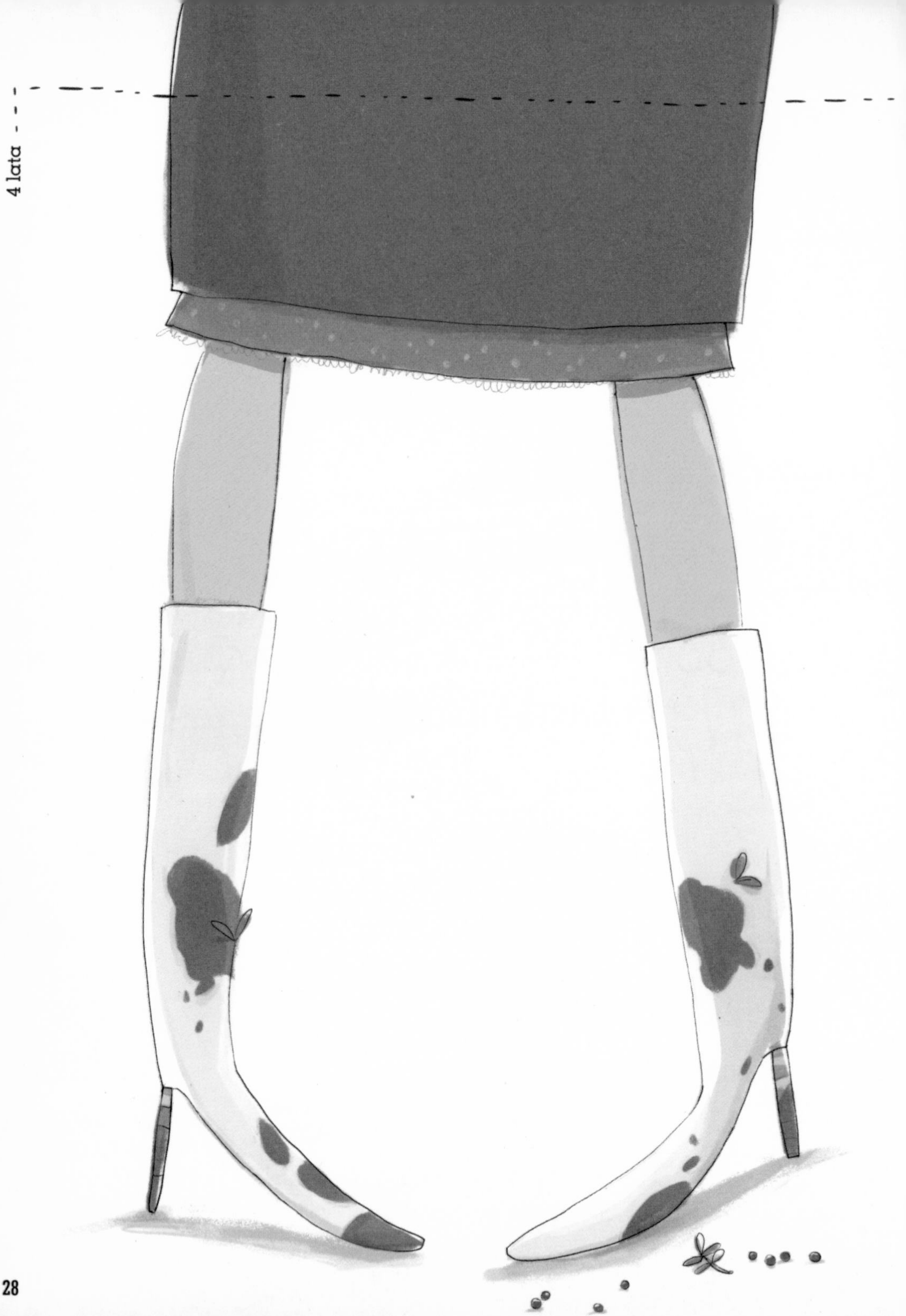
4 lata

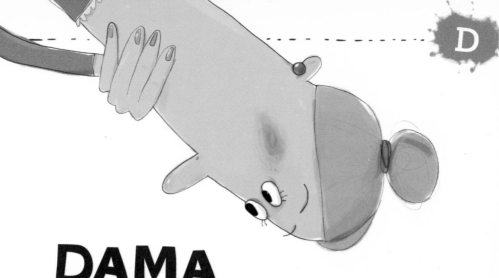

DAMA
NA JAGODACH

Da-da, da-da, pewna dama
miała białe buty w plamach.
Oda-oda, oda-oda,
no bo była na jagodach.
Ody-ody-ody,
plamią te jagody!

ZWRÓĆ UWAGĘ: w tym wierszyku każda głoska „d" powinna być
wymówiona dźwięcznie (dziecko nie powinno wymawiać jej jako „t").
Sprawdź też, czy dziecko nie wsuwa języka między zęby, gdy wymawia
głoskę „d". W obu przypadkach warto porozmawiać z logopedą.

NU

Nu-nu, nu-nu, wielka nud

Ono-ono, ono-on

An-an-an, an-a

JU UDA

pie pana wielkoluda.

m mu nudny wyświetlono.

i ten wielki pan.

MAMIE SIĘ
NIE KŁAMIE!

Ni-ni, ni-ni-ni,
nigdy nie kłam mi.
Anie-anie-anie,
to nie wychowanie,
gdy ktoś kłamie mamie.
Wtedy, ań-ań-ań,
tego kogoś gań!

MiSiE i KiSiEL

Isia-isia-isia,
danie mam dla misia
Isie-isie-isie,
danie to to kisiel.
Isio-isio-isio,
innym moim mision
potem kupię kisiel.

iSiO
iSiO
iSiO

UWAGA: Sprawdź, czy dziecko nie wsuwa języka
między zęby, kiedy wymawia ćwiczoną głoskę.

Dla kogo ten kisiel?

Co dostanie miś?

UZiA
UZiA
UZiA

ZWRÓĆ UWAGĘ: w tym wierszyku każda głoska „ź/zi" powinna być wymówiona dźwięcznie (dziecko nie powinno wymawiać jej jako „ś"). Sprawdź,
czy dziecko nie wsuwa języka między zęby, kiedy wymawia ćwiczoną głoskę.
Jeśli tak robi, warto porozmawiać z logopedą.

UMYJ BUZIĘ!

BUZIA JÓZIA

KTO TO?

TO, MAŁY JÓZIO

Uzia-uzia-uzia,
mówi mama Józia,
uzie-uzie-uzie,
umyj ładnie buzię.
Uzi-uzi-uzi,
nie umyję buzi!

Uzio-uzio-uzio,
mówi mały Józio.

TYCiE MYCiE

Ycia-ycia-ycia,
Jan nie lubi mycia.
Ycie-ycie-ycie,
Olek lubi mycie,
ycio-ycio-ycio,

ale tylko tycio.

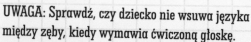

UWAGA: Sprawdź, czy dziecko nie wsuwa języka między zęby, kiedy wymawia ćwiczoną głoskę.

TYLKO TYCIO TYCIO!

WŁADZIO
i HULAJNOGA

Adzio-adzio-adzio,
pewien mały Władzio,
edzie-edzie-edzie,
hulajnogą jedzie,

idzi-idzi-idzi,
ale ledwo widzi,
edzie-edzie-edzie,
pewnie nie dojedzie.

WŁADZiU!

EDZiE
EDZiE
EDZiE

ZWRÓĆ UWAGĘ: w tym wierszyku każda głoska „dż" powinna być wymówiona dźwięcznie (dziecko nie powinno wymawiać jej jako „ć"). Sprawdź, czy dziecko nie wsuwa języka między zęby, kiedy wymawia ćwiczoną głoskę. Jeśli tak robi, warto porozmawiać z logopedą.

41

LO

LODY

Lo-lo, lo-lo, zimne lody
mamy latem dla ochłody.
Ele-ele-ele,
ale ich niewiele
jemy, ul-ul-ul,
bo migdałków ból
po tych lodach długo mamy,

gdy się nimi objadamy.

ZWRÓĆ UWAGĘ, czy dziecko nie zamienia „l". na „j".
Czterolatek nie powinien już mieć z tym kłopotu. Jeśli tak
się dzieje, warto porozmawiać z logopedą.

LiLA
LiDKA

Ekipa? A co to znaczy?

BAZYLi

LiPA
i EKiPA

Li-li, li-li, lipa,
a pod nią ekipa.
Eli-eli-eli,
kiedy odetchnęli,
ali-ali-ali,
wtedy odjechali.

KOTEK
i MLEKO

Ko-ko, ko-ko, mały kotek
z bańki mleko pił pod płotem.
Eko-eko, eko-eko,
i chciał wypić całe mleko,
ak-ak-ak, ak-ak-ak,
a nie wiedział jak.

ZWRÓĆ UWAGĘ, czy dziecko nie zamienia głoski „k" na „t". Jeśli tak robi, warto porozmawiać z logopedą.

Kto to jest kinoman?

KiNOMAN

Ki-ki, ki-ki, pewne kino
pan kinoman dziś ominął,
aki-aki, aki-aki,
bo tam film był byle jaki,
akie-akie, akie-akie,
a nie chodzi on na takie.

ZWRÓĆ UWAGĘ, czy dziecko nie wymawia głoski „ki" jako „ti".
Jeśli tak, warto porozmawiać z logopedą.

A TO GADUŁA!

GADUŁA

Ga-ga, ga-ga, Alan gada,
kiedy gadać nie wypada.
Aga-aga, aga-aga,
wtedy Jan Alana błaga:
ego-ego, ego-ego,
ty nie gadaj, mój kolego,
oge-oge-oge,
bo i ja nie mogę.

ZWRÓĆ UWAGĘ, czy dziecko nie zamienia głoski „g" na „d".
Jeśli tak robi, warto porozmawiać z logopedą.

Gi

Gi Gi

GiBONY
i MELONY

Gi-gi, gi-gi, dwa gibony
chciały buchnąć dwa melony,

ale, agi-agi-agi,
nie miały odwagi.

Ugi-ugi-ugi
– jadły je papugi.

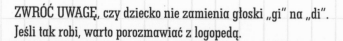

ZWRÓĆ UWAGĘ, czy dziecko nie zamienia głoski „gi" na „di".
Jeśli tak robi, warto porozmawiać z logopedą.

BUCH!

Ha-ha, ha-ha, tamten hamak
chyba mały Jaś połamał.
Ucha-ucha-ucha,
była w nim poducha.
Uch-uch-uch, uch-uch,
Jaś w poduchę buch!

I wyleciał puch!

HA

Hi

Hi-hi-hi, pan hipopotam
na hien punkcie miewał kota.
Hie-hie, hie-hie, panie hieny
łapał kiedyś dla higieny.
Hi-hi-hi, hi-hi!
Jedną chciał dać mi.

HiENY
HiPOPOTAM

OSA

OSA
KOŁO NOSA

Osa-osa-osa,
lata koło nosa.
Ose-ose-ose,
dmuchnę na tę osę.
Osy-osy-osy,
bo nie lubię osy!
Os-os-os, os-os,
ukłuła mnie w nos!

ZWRÓĆ UWAGĘ, czy dziecko nie wsuwa języka między zęby, gdy wymawia „s", oraz czy nie zmiękcza „s" (zamieniając je na „ś") – czterolatek nie powinien mieć już z tym kłopotu. Jeśli tak się dzieje, warto porozmawiać z logopedą.

NOS

W co ukłuła osa?

GA

UWAGA: wyraz „mafioso" czytamy, używając głoski „z".

ZWRÓĆ UWAGĘ, czy dziecko nie wsuwa języka między zęby, gdy wymawia „z", czy nie wymawia „z" jako „s" oraz czy nie zmiękcza „z" (zamieniając je na „ż") – u dziecka czteroletniego taka wymowa powinna zanikać. Jeśli tak się dzieje, warto porozmawiać z logopedą.

EEM!

MAFiOSO

Aza-aza-aza,
to piękna oaza.
Ozo-ozo-ozo,
bywa w niej mafioso.
Azu-azu-azu,
lepiej nie dokazuj,
aze-aze, aze-aze,
wiej, kolego, gazem.

Oaza? A co to takiego?

MUCHĘ PAC!

Oc-oc-oc,
much tu moc.
Uc-uc-uc,
będę tłuc,
ac-ac-ac,
muchę pac!

ZWRÓĆ UWAGĘ, czy dziecko nie wsuwa języka między zęby, gdy wymawia „c" oraz czy nie zmiękcza „c" (zamieniając je na „ć") — u dziecka czteroletniego taka wymowa powinna zanikać. Jeśli tak się dzieje, warto porozmawiać z logopedą.

DZ

UDZA

ZWRÓĆ UWAGĘ: w tym wierszyku każda głoska „dz" powinna być wymówiona dźwięcznie (dziecko nie powinno wymawiać jej jako „c"). Zwróć uwagę, czy dziecko nie wsuwa języka między zęby, gdy wymawia głoskę „dz". Posłuchaj też, czy dziecko nie zmiękcza „dz" (zamieniając je na „dź", „ć") – u dziecka czteroletniego taka wymowa powinna zanikać. Jeśli tak się dzieje, warto porozmawiać z logopedą.

UDZA UDZA

UDZE UDZE UDZE

POBUDKA

Udza, udza, udza,
mama mnie dobudza.
Udze, udze, udze,
a ja lalki budzę.

CZĘŚĆ 2

od 5 lat

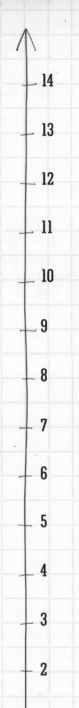

14

13

12

11

10

9

8

7

6

5

4

3

2

1

SZY

WYPŁOSZONE MYSZKi

Szy-szy, szy-szy, szybko myszy,
oszy-oszy, kot wypłoszył.
Usz-usz, usz-usz-usz,
i po myszach kurz
mamy tylko już.

UWAGA: Część drugą rozpoczynają wierszyki na głoski „sz", „ż", „cz",
„dż". Niektóre pięciolatki nie potrafią jeszcze wymówić tych głosek. W takim
przypadku nie zmuszajmy dziecka do tego, ale skonsultujmy się z logopedą.

UWAGA: w wyrazach „kurz" i „już" „ż/rz" czytamy jako „sz".

ZWRÓĆ UWAGĘ, czy dziecko nie zmienia „sz" na inne głoski („s", „ś") oraz czy
podczas wymawiania „sz" nie słychać nieprzyjemnego poszumu. Jeśli tak, warto
porozmawiać z logopedą.

ZWRÓĆ UWAGĘ, czy dziecko nie zamienia „ż/rz" na inne głoski (np. „sz", „z" „ż")
i czy podczas wymawiania „ż/rz" nie słychać nieprzyjemnego poszumu.
Jeśli tak, warto porozmawiać z logopedą.

A JA
NIE WIERZĘ
ŻABKOM!

TA ŻABKA KŁAMiE!

Ża-ża, ża-ża,
żabka mała
chyba nagadała,
eżo-eżo, eżo-eżo,
kilku małym jeżom
o tym, że-że-że,
małe jeże je.

Na to jeden jeżyk:
„Żabkom nikt nie wierzy".

Czy żabki jedzą jeże?

Co jest w kubeczku?

Co lubi Janek?

OCHOTA NA CZEKOLADĘ

Cze-cze, cze-cze, czekolada,
Janek czekoladę jada.
Oczo-oczo, oczo-oczo,
i ja jadam ją ochoczo!
Ecz-ecz-ecz, ecz-ecz-ecz,
lubię czekoladę, lecz

jem jej mały kawałeczek
lub piję kubeczek.

ZWRÓĆ UWAGĘ, czy dziecko nie zamienia „cz"
na inne głoski (np. „c", „ć") i czy podczas wymawiania
„cz" nie słychać nieprzyjemnego poszumu.
Jeśli tak, warto porozmawiać z logopedą.

od 5 lat

DŻEM DŻOKEJA

Dże-dże, dże-dże, dżemy malinowe jemy,
dżo-dżo, dżo-dżo, inne dżokejom dajemy.
Dżokej Dżony o tym wie,
chętnie inne dżemy je.

DŻOKEJ DŻONY

ZWRÓĆ UWAGĘ, czy dziecko nie zamienia „dż" na inne głoski (np. „dz", „cz") i czy podczas wymawiania „dż" nie słychać nieprzyjemnego poszumu. Jeśli tak, warto porozmawiać z logopedą.

Kto je inne dżemy?

DŻEM

Co będą jadły myszki?

Ile szyszek ma myszka?

MYSZKi
i SZYSZKi

Mówi szeptem mysz do myszy:
– Tachasz koszyk, ledwo dyszysz!
Aż trzy szyszki masz w koszyku!
Wyjmij szyszki i po krzyku!
Na podpałkę pójdą szyszki,

bo szaszłyki pieką myszki.

UWAGA: w wyrazach „trzy", „aż" i „krzyku" „rz" wymawiamy jako „sz".

ZWRÓĆ UWAGĘ, czy dziecko nie zamienia głoski „sz" na inne oraz czy
podczas wymawiania „sz" nie słychać nieprzyjemnego poszumu.
Jeśli tak, warto porozmawiać z logopedą.

WOLĘ MORZE!

ZNUŻONY ŻÓŁW

Żółw nad rzeką był. Narzekał,
że go nuży taka rzeka.
Żółw od rzeki woli morze,
bo żółw w rzekach pływa gorzej.
Jak nie morze, to kałuże,
        byle odpowiednio duże.

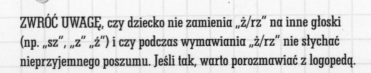

ZWRÓĆ UWAGĘ, czy dziecko nie zamienia „ż/rz" na inne głoski
(np. „sz", „z" „ź") i czy podczas wymawiania „ż/rz" nie słychać
nieprzyjemnego poszumu. Jeśli tak, warto porozmawiać z logopedą.

Co to znaczy „znużony"?

MORZE

SZ–Ż   SZ–RZ

UWAGA: w tym wierszyku są wymieszane głoski „sz" i „ż/rz". W części wyrazów zapisana jest litera „ż/rz", ale wymawiamy ją jako głoskę „sz" („krztyna", „ważka", „popatrzyła").

ZWRÓĆ UWAGĘ, czy dziecko nie zamienia głosek na inne i czy podczas wymawiania „ż/rz" i „sz" nie słychać nieprzyjemnego poszumu. Jeśli tak, warto porozmawiać z logopedą.

WAŻENiE KASZKi

Żuk przemówił tak do ważki:
— Mamy tutaj temat ważki.
Ile waży krztyna kaszki,
bo marzyły o niej ptaszki?
Ważka tylko popatrzyła:
— Krztyny kaszki nie ważyłam!

Niech te ptaszki kaszkę ważą,
gdy o krztynie kaszki marzą.

ZWRÓĆ UWAGĘ, czy dziecko nie zamienia głoski „cz" na inne i czy podczas wymawiania „cz" nie słychać nieprzyjemnego poszumu. Jeśli tak, warto porozmawiać z logopedą.

KACZKA
i PACZKA

Kaczka pcha ochoczo taczkę,
bo ma na niej wielką paczkę.
Ma w niej mleczko? Niekoniecznie.

Kaczka lubi mleczko, lecz nie
kupowała w paczkach mleczka,

tylko mleczko
w buteleczkach.

Jak myślisz, co kaczka ma w paczce?

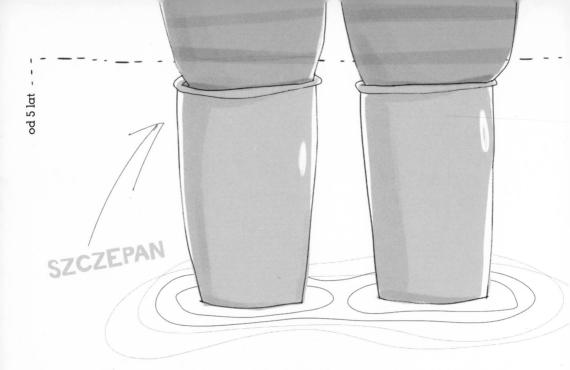

SZCZEPAN

SZCZEPAN
NA SZCZUPAKACH

Gdy szczupaki Szczepan łapał,
było chłodno i deszcz kapał.
Potem Szczepan łowił jeszcze
po szczupakach szczwane leszcze.
Szczepan łowił leszcze nową

sztywną wędką leszczynową.

SZCZ

UWAGA: zbitka „szcz" jest naprawdę trudna!
Jeśli dziecko ma z nią drobny kłopot,
po prostu poćwiczcie razem.

SZCZUPAK
LESZCZ

Szczwane leszcze? A co to znaczy?

CZ–DŻ

Opowiedz, kto jest w dżungli.

DŻENTELMEN
W DŻUNGLi

W dżungli czyha dwóch dżudoków,
ma dżentelmen ich na oku.
O dżudoków wie wyczynach,
mówi o tym jego mina.
Na dżudoków czyha hiena,
na nią – wnuczek dżentelmena.

ZWRÓĆ UWAGĘ, czy dziecko nie zamienia głosek „dż" i „cz" na inne
i czy podczas ich wymawiania nie słychać nieprzyjemnego poszumu.
Jeśli tak, warto porozmawiać z logopedą.

DŻUDOKA

WNUCZEK
DŻENTELMENA

DŻENTELMEN

Kiedy Szymek wkłada kalosze?

DESZCZOWY SZYK SZYMKA

Mały Szymek po dżdżu biega
tylko w płaszczu i pepegach.
Gdy opady przyjdą duże,
plucha, mżawka i kałuże,
a deszcz pada tak i pada,
to kalosze Szymek wkłada.

UWAGA: w wyrazie „przyjdą" „rz" wymawiamy jako „sz".

ZWRÓĆ UWAGĘ, czy dziecko nie zamienia głosek „sz", „ż/rz", „cz", „dż" na inne i czy podczas ich wymawiania nie słychać nieprzyjemnego poszumu. Jeśli tak, warto porozmawiać z logopedą.

Co usłyszały ptaki?

Na kogo poluje lisek?

UWAGA: to trudny wierszyk, każdy może się potknąć!
Poćwiczcie razem, jeśli sprawia trochę kłopotu. Pamiętajcie,
że w wyrazach „krzaki" i „już" „ż/rz" czytamy jako „sz".

LiS i SZPAKi

Lis dał szybko susa w krzaki,
bo polował tam na szpaki.
Gdy te krzaki lis pustoszył,
stado szpaków z krzaków spłoszył.
Usłyszały szelest szpaki –

lis już nie był szybki taki.

Z–Ż

ZWiERZĘ W ZOO

W zoo zwierzęta żyją zgodn
Gdy tam niezbyt dobrze mą

A w zoo popłoch i panik

UWAGA: to trudny wierszyk, każdy może się potknąć!
Poćwiczcie razem, jeśli sprawia trochę kłopotu.

ZWRÓĆ UWAGĘ, czy dziecko nie zamienia głosek „ż/rz",
„z" na inne i czy podczas wymawiania „ż/rz" nie słychać
nieprzyjemnego poszumu. Jeśli tak, warto porozmawiać z logopedą.

...edy mają w zoo wygodnie.

...zwierzęta z zoo zmykają.

...edy zwierzę z niego zmyka.

od 5 lat

PĘCZEK CEBULi DLA ULi

Jacek pęczek miał cebuli,
cały pęczek oddał Uli.
Kiedy Ula je cebulę,
wtedy Jacek mówi czule:
– Co takiego czuję? Ach, nie!
Czy cebulą Ula pachnie?

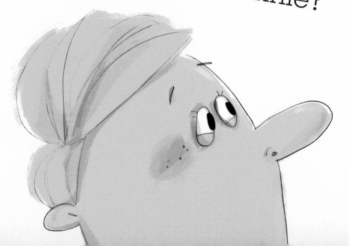

PĘCZEK CEBULi

Co dostała Ula?

DZ–DŻ

Co to jest dżonka?

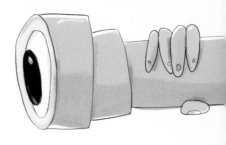

JĘDZA, DŻONKA i PiENiĄDZE

Płynie dżonka pewnej jędzy –
jędza pełno ma pieniędzy.
Widzę dżonkę, na niej jędzę,
ale dżonki nie dopędzę.

Gdy mnie jędza dżonką minie,

to do dżungli nią odpłynie!

UWAGA: to trudny wierszyk, każdy może się potknąć!
Poćwiczcie razem, jeśli sprawia trochę kłopotu.

ZWRÓĆ UWAGĘ, czy dziecko nie zamienia głosek „dz",
„dż" na inne i czy podczas ich wymawiania nie słychać
nieprzyjemnego poszumu.

S Z C DZ

LUKSUSOWY GADŻET

Zbyszek dostał gadżet nowy,
elegancki, luksusowy,
co pieniędzy moc kosztował.
Zbyszek gadżet w szafce schował
– nie jest pewien, czemu służy,
więc gadżetu on nie użył

chyba jeszcze do niczego
i pożytku nie ma z niego.

UWAGA: to trudny wierszyk, każdy może się potknąć!
Poćwiczcie razem, jeśli sprawia trochę kłopotu.

SZ RZ Ż CZ DŻ

Co to jest gadżet?

ZWRÓĆ UWAGĘ, czy dziecko nie zamienia głoski „r" na „l"
bądź „j" oraz czy „r" nie jest wymawiane w zupełnie inny sposób
(np. jako „francuskie"). Jeśli tak, warto porozmawiać z logopedą.

TRUDNE
PRANiE

Musi uprać dresy Ania.
Dresy trudne są do prania,
bo są popryskane błotem –
w praniu bywa to kłopotem.

Pierze dresy, trąc na tarze,
ale błoto wciąż się maże –
takie tradycyjne pranie
bywa trudne niesłychanie.

Może trzeba dodać proszek?
Sprało błoto się? No proszę!

ZWRÓĆ UWAGĘ, czy dziecko nie zamienia głoski „r" na „l" bądź „j" oraz czy „r" nie jest wymawiane w zupełnie inny sposób (np. jako „francuskie"). Jeśli tak, warto porozmawiać z logopedą.

URODZiNY RAKA

Rak zaprosił ryby w gości,
bo rodziny miał już dość i
urodziny swe z rybami
pragnął uczcić,
                    nie z rakami.

Teraz racza mu rodzina
brak zaproszeń wypomina,
więc rak raczej ją zaprosi,
bo tym razem ryb ma dosyć.

Kogo zaprosił rak na urodziny?

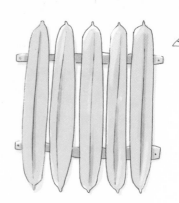

CHORY ROBERT

Na wersalce Robert chory –
ma gorączkę, kaszel spory,
ale kaloryfer grzeje,
więc się rozgrzać ma nadzieję.

Leży na nim koców warstwa,
a przy łóżku ma lekarstwa,
w rondlu wodę do popicia –
może wróci nam do życia?

UWAGA: to trudny wierszyk. Wie to każdy, kto pomylił się,
mówiąc „kaloryfer". Poćwiczcie razem, jeśli sprawia trochę kłopotu.

R–L

KALORYFER
RONDEL

WERSALKA

CZĘŚĆ 3

RYMOWANKi
DLA CHOJRAKÓW!

Rymowanki te wyzwaniem
będą dla tych, co się na nie
zechcą porwać, może sami
albo wspólnie z rodzicami.

Niezłym trzeba być chojrakiem,
gdyż są w nich trudności takie,
że nie wszyscy sobie radę
dadzą z każdym tu przykładem.

Gdy powtórzyć nie umiemy,
to się najpierw pośmiejemy
i spokojnie, powolutku
próbujemy aż do skutku.

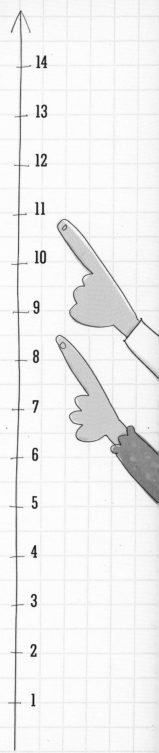

DOMEK FRANKA

Franek domek ma na drzewie.
Gdzie dokładnie jest – nikt nie wie,
ale Franek jest dziś pewien,
że o domku wspomniał Ewie.

Ewa informację taką
przekazała przedszkolakom.
Przyjdą pewnie całą paką

do Franciszka z jakąś draką.

UWAGA: rymowanki w części trzeciej zawierają wszystkie trudne głoski. Nie przejmujcie się, jeśli sprawiają kłopot, tylko poćwiczcie razem i bawcie się dobrze!

ĘDZiE DRAKA!

PIÓROPUSZ

TOMAHAWK
MOKASYNY

UWAGA: wyraz „tomahawk" czytamy jako „tomahafk".

ZABAWA W INDiAN

W Indian bawią się chłopaki,
a wśród nich jest jeden taki,
który tak dla niepoznaki
daje innym dymne znaki.

Jest tam też czerwonoskóry,
co tomahawk ma z tektury,
mokasyny z grubej skóry
i pióropusz też z piór kury.

Opowiedz mamie, jakie zabawki mają chłopaki.

KOT
POD PŁOTEM

Kasia się bawiła z kotem,
lecz kot z płotu spadł z łoskotem.
Teraz leży kot pod płotem –
potłukł się,
więc wstanie potem.

Kot pod płotem wpadł w dół płytki
(był głęboki na pół łydki),
lecz się potłukł w sposób brzydki.
Kasia mu przyniosła frytki.

Czy koty jedzą frytki?

WYCiECZKA TOSi

Tosia niesie ciężką teczkę,
a w tej teczce ma apteczkę,
pastę, kubek i szczoteczkę.
Pewnie idzie na wycieczkę.

SZCZOTECZKA
PASTA

TECZKA

Pamiętasz, co Tosia ma w teczce?

Poza teczką i apteczką,
pastą, kubkiem i szczoteczką,
ma też z wieczkiem pudełeczko,
w wieczku małe lustereczko,
w pudełeczku – ptasie mleczko.

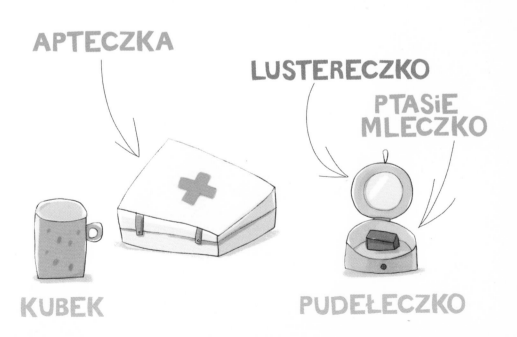

APTECZKA

LUSTERECZKO

PTASIE
MLECZKO

KUBEK

PUDEŁECZKO

ZAJĄC i SZCZYGŁY

Przy wiosennym słońca blasku
szczebiotały szczygły w lasku.
Zając, widząc je, podskoczył,
zabłyszczały jego oczy,
bo gdy szczygły tak szczebioczą,
zając słucha ich ochoczo,
więc nadstawił duże słuchy.

Wiedząc o tym, że przygłuchy
lekko jest, no i do tego
nie ma słuchu muzycznego,
to dla polepszenia słuchu
mały gadżet miał przy uchu,
co mu jako wzmacniacz służył,
więc go zając skrzętnie użył.

Co to są słuchy?

Opowiedz, co się przydarzyło Basi.

PRZYGODA
W POKRZYWACH

Basia się uśmiecha krzywo,
bo sparzyła się pokrzywą,
kiedy się schyliła żywo
po truskawkę robaczywą.

Pokrzyw wszędzie dużo było,
wielu się tam poparzyło.
Teraz Basia już uważa –
na pokrzywy

bardziej zważa.

BARTEK
NA PŁYWALNi

Biegnie Bartek na pływaln

by opalić się – normalni

Gdy zanurzy się po usz

ale szybko strach zagłusz

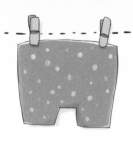

1a leżak tam się walnie,

1 brązowo naturalnie.
kki strach poczuje w duszy,
o czym szorty swe wysuszy.

Co Bartek będzie robił na pływalni?

Czemu Olę boli brzuch?

SMAKOŁYKi OLi

Ola weszła dziś za ladę,
a pod ladą ma szufladę,
w niej roladę, czekoladę,
morelową marmoladę.

To przysmaki słodkie Oli.
Ola je od kaszki woli,
ale gdy ich zje do woli,

to brzuch Olę od nich boli.

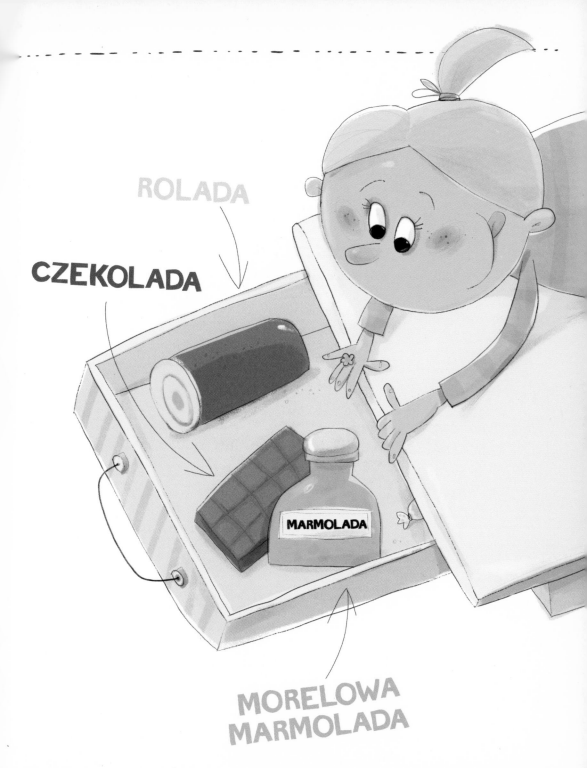

ROLADA

CZEKOLADA

MARMOLADA

MORELOWA
MARMOLADA

PiEKARZ
ŁAKOMCZUCH

Piekarz Grzegorz mocno wierzy,
że chleb stanie się nieświeży,
gdy za długo gdzieś poleży,
więc go szybko zjeść należy.

Chleb swój zjada więc z zapałem.
Zawsze wcześnie w poniedziałek
zjada trzy bochenki całe:
jeden duży i dwa małe.

Czy to duszek?

Czego boi się Wandzia?